La gran amenaza

Una historia contada por Charles Montpetit
e ilustrada por Fabián González

Brincacharcos

Todo empezó cuando la gente del pueblo vio a Gabriela volver a su casa montada en una criatura aterradora.

Bueno, decir "aterradora" tal vez sea un poco exagerado. A pesar de su enorme tamaño, de sus amenazadoras garras y de su temible aspecto, el brum era un animal bonachón.

Cuando alguien se subía a su espalda ronroneaba y, si se le dejaba tranquilo, podía quedarse inmóvil durante horas.

El brum también podía ser muy útil. Cuando la mamá de Gabriela iba a buscar productos para su tienda, el animal le permitía traer el triple de mercancías que habitualmente. Y cuando el papá de Gabriela las descargaba, la curiosidad atraía a muchos clientes.

La noticia llegó a oídos del soberano del lugar. Movido por la envidia, el duque de Mesco hizo venir a la niña a su palacio.

—Gabriela, me temo que tu animal puede ser peligroso. Te ofrezco cien pesos de oro si aceptas que yo me ocupe de él por ti.

A Gabriela no le gustó esta idea, pero no quería ofender al duque.

—Se lo agradezco —dijo—, pero el brum se ha encariñado conmigo. Si usted quiere uno, podría ir a donde yo hallé el mío…

Al duque le gustó la sugerencia y Gabriela le explicó el camino.

Al día siguiente, cuál no sería la sorpresa de Gabriela cuando el duque y su ejército regresaron al pueblo con tres animales aún más impresionantes.

Los nuevos brumos eran magníficos, sus corazas brillaban al sol y la tierra temblaba bajo sus pasos. El duque fue acogido como un héroe; seguramente había arriesgado su vida varias veces para capturar a estos monstruos.

Un frenesí incontrolable se apoderó de la población. Estaba claro que el brum de Gabriela no era el único de su especie y muchas personas le preguntaron dónde podían capturarlos. Y es que... ¡todo el mundo quería tener uno!

Un mes después había brumos por todo el pueblo. El herrero usaba el suyo para transportar su material, la panadera para repartir sus pedidos, y la costurera... en realidad, la costurera no necesitaba un brum, pero era tan distinguido tener uno que ella quería mostrárselo a todos.

Cada día nuevas expediciones traían monstruos más coloridos, fuertes e imponentes. Y cada día las calles del pueblo estaban más atestadas... La popularidad de los brumos era asombrosa.

Pero los brumos eran ruidosos y muy torpes. Cuanto más tiempo pasaba, más estragos hacían en el pueblo. Además, estos glotones devoraban jardines enteros en una sola comida; su aliento no era nada agradable y hubo que construir abrigos para los más friolentos, que se paralizaban cuando la temperatura bajaba un poco.

Lo peor fue cuando se descubrió su mayor defecto: los brumos no eran, digamos, muy limpios. ¡Era imposible caminar sin pisar su estiércol!

El duque organizó una gran asamblea para estudiar el asunto.

—La situación es grave —dijo—. Pero no podemos disgustar a los dueños de los brumos. Yo no quiero provocar una revolución.

—El problema se debe a lo que comen los brumos —explicó una curandera—. Si pudiéramos cambiarles la dieta...

Pero se calló inmediatamente viendo la reacción de los vendedores de forraje, que se habían enriquecido con la llegada de los brumos. Para no perjudicar su comercio, había que buscar otra manera de salir del aprieto.

Se hicieron túneles para liberar las calles todo lo posible. De este modo, las personas que quisieran atravesar el pueblo con sus brumos, podrían hacerlo sin molestar a nadie.

Pero la gente, al creer que el problema estaba solucionado, consiguió más brumos. Y, con tanto animal bajo tierra, el aire de los túneles se volvió irrespirable.

Luego se construyeron puentes para liberar los túneles. De este modo, las personas que tenían dificultad para respirar dentro de los túneles, podrían pasar con sus brumos por encima de las casas. Pero, con tanto animal sobre los puentes, éstos empezaron a hundirse bajo su peso. Y como había tantos accidentes, la gente exigía otras soluciones.

—Nos falta espacio —señaló un consejero—. Agrandemos el pueblo y tendremos más lugar para los brumos.

—Bien dicho —agregó el duque—. Pero, ¿cuál será la reacción de los pueblos vecinos cuando nos apropiemos de sus tierras?

—Pero, señor duque, es evidente. ¡Nadie osará hacer frente a los brumos!

—Podríamos fabricar armaduras que los hicieran aún más temibles —agregaron algunos—. Con lanzas, ballestas, flechas envenenadas...

—Humm —dijo el duque.

Gabriela estaba horrorizada. "¡Todo el mundo está dispuesto a empezar una guerra por estas criaturas, es culpa mía!", pensó reteniendo sus lágrimas, "nunca debí traer un brum."

Regresó corriendo a su casa y despertó al animal que dormitaba en la entrada.

—Vete rápidamente —le dijo—. ¡Tu vida corre peligro!

El brum la miró sin reaccionar y ella tuvo que darle un azote para que se moviera.

Al parecer, los monstruos estaban cansados de vivir en un pueblo tan poco hospitalario. Cuando los brumos del barrio vieron a uno de los suyos recuperar la libertad, se pusieron a seguirlo.

Los otros brumos los imitaron y todo el tropel terminó por abalanzarse hacia la salida del pueblo.

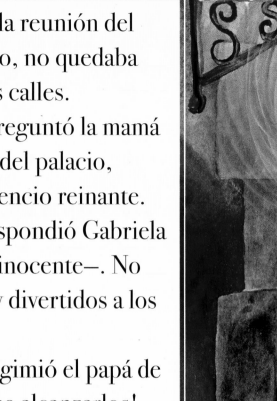

Cuando terminó la reunión del duque con el pueblo, no quedaba un solo brum en las calles.

—¿Qué pasó? —preguntó la mamá de Gabriela al salir del palacio, extrañada por el silencio reinante.

—¡Oh, nada! —respondió Gabriela con una expresión inocente—. No les parecíamos muy divertidos a los brumos.

—¡Es el colmo! —gimió el papá de Gabriela—. ¡Hay que alcanzarlos!

—Ahora que nos conocen, yo creo que van a esconderse mucho mejor que antes —dijo Gabriela—. ¿Por qué no aprovechamos para limpiar el pueblo?

Y nunca más en la región se volvió a ver un brum.

D.R. © CIDCLI, S.C.

Av. México 145-601, Col. del Carmen
Coyoacán, C.P. 04100, México, D.F.
www.cidcli.com.mx

D.R. © Charles Montpetit, 2008

Ilustraciones: Fabián González
Traducción al español: Cristian Arcos
Coordinación editorial: Rocío Miranda
Cuidado de la edición: Elisa Castellanos
Diseño gráfico: Rogelio Rangel
Reproducción fotográfica: Rafael Miranda

Primera edición, noviembre 2008
ISBN: 978-607-95011-0-5

Impreso en México / *Printed in Mexico*

La gran amenaza
se imprimió en los talleres de Offset Rebosán, S.A. de C.V.,
Avenida Acueducto núm. 115, colonia Huipulco Tlalpan,
C.P. 14370, México, D.F., en el mes de noviembre de 2008.
El tiraje fue de 3 000 ejemplares.